ENGLISH WITH JENNA

제나 영어회화 데일리북

SEASON 1

JENNA KIM

제나 영어회화 데일리북

발 행 | 2024년 05월 07일
저 자 | JENNA KIM
펴낸이 | 한건희
펴낸곳 | 주식회사 부크크
출판사등록 | 2014.07.15(제2014-16호)
주 소 | 서울특별시 금천구 가산디지털1로 119 SK트윈타워 A동 305호
전 화 | 1670-8316
이메일 | INFO@BOOKK.CO.KR

ISBN | 9791141083861

WWW.BOOKK.CO.KR

ENGLISH WITH JENNA

제나 영어회화 데일리북

S E A S O N 1

JENNA KIM

작가의 말

안녕하세요.
저는 미국에서 살고 있는 제나입니다.
먼저 이 책을 찾아주신 모든 독자분들께 깊은 감사의 인사를 전합니다.

저는 현재 인스타그램 17만 팔로워와 함께 영어 공부를 함께 하고 있으며.
누구나 쉽고 즐겁게 영어를 습득할 수 있는 자료를 공유하고 있습니다,

팔로워님들의 다양한 의견을 기반으로 《제나 영어회화 데일리 북》은
일상생활에 바로 사용할 수 있는 영어 표현을 학습할 수 있도록 구성되어 있으며
친구, 육아, 연애 영어 표현 등등 10가지 주제로 다양하게 나누어져 있습니다.

영어 읽기에 어려움이 있는 분들을 위해 각 영어 표현 아래에는
한글 발음도 함께 표기해 두었습니다. 오디오 파일을 통해 정확한 발음을 듣고
연습하여 보다 자연스러운 영어 회화 능력을 기를 수 있습니다.

더불어, 학습 효과를 극대화하기 위해 각 표현마다 관련 이미지를 첨부하여
시각적으로도 기억하기 쉽게 구성되었으며 플래시 카드처럼 사용할 수 있도록
디자인되었기 때문에, 필요한 부분을 출력하셔서 보관하실 수도 있습니다.

외국어를 배우는 데 있어 가장 중요한 것은 흥미를 잃지 않는 것이라고 생각합니다
《제나 영어회화 데일리북》은 모든 분들이 즐겁고 쉬운 접근 방식으로
영어 실력을 향상 시킬 수 있도록 노력을 기울였습니다.

감사합니다.

- Jenna Kim

제나 영어 데일리북
100% 사용법

1. '제나 영어 데일리북'은 플래시 카드의 형식으로
주제별로 간단히 분류하여 보관할 수 있어
학습 내용을 보다 빠르고 효과적으로
활용할 수 있도록 구성되었습니다.

2. 각 단원의 QR 코드를 클릭&스캔하면
오디오 파일을 다운로드할 수 있습니다.
오디오를 함께 들으며 적극적으로 참여함으로써
영어 실력을 더욱 향상시킬 수 있습니다.

3. 한글 발음 표기가 함께 포함되어
영어를 처음 배우는 분들도 쉽게 따라 할 수 있습니다.

*단, 정확한 발음을 연습하고자 한다면
오디오 파일을 반드시 함께 활용하시기 바랍니다.

TABLE OF CONTENTS

Friends

SCAN ME!

제냐 영어회화 레일리북

Friend (친구)

별 일 없지?

- How's everything?
- Anything going on?

- 하우스 에브리띵
- 에니띵 고잉 언?

별 일 없어 / 그저 그래

- Nothing much
- Not really

- 낫띵 머치
- 낫 뤼을리

커피는 내가 쏜다

Coffee's on me

커피스 언 미

나중에 한번 보자

Let's catch up later.

레츠 캐치 업 레이럴

8

Friend (친구)

날 그냥 혼자 내버려 둬

Just leave me alone

저슨 립미 얼론

오늘 저녁은 외식하자

Let's go out for dinner

레츠고 아웃 폴 디널

많이 보고 싶었어

I missed you a lot

아이 미슨유 얼 랏

차가 막혔어

There was traffic

데얼 워스 트레픽

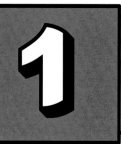

Friend (친구)

우리 더치페이 하자

We split the bill

위 스쁠립 더 빌

집안일 좀 하고 있었어

I'm just doing some chores

아임 저슨 두잉 썸 쵸스

내가 나중에 다시 전화할게

I'll call you back later

아우 콜 유 백 레이럴

나 쉬는 날이야

It's my day off

이츠 마이 데이 어프

Friend (친구)

나 그와 헤어졌어

**I broke up
with him**

아이 브로컵 윗힘

왜 헤어졌어?

**Why did you
break up?**

와이 디쥬 브레이컵?

나 진짜 심심해

I'm so bored

아임 쏘 보올드

친구 좋다는 게 뭐니?

What are friends for?

와럴 프렌즈 폴?

1 Friend (친구)

바람 좀 쐬러 가자

Let's get some fresh air

레츠 겟 썸 f프레쉬 에얼

잘난 척 좀 그만해

Stop showing off

스탑 쇼우잉 어프

너 잘하고 있어

You're doing great

유얼 두잉 그뤠잇

오늘 그냥 여기서 놀자

Let's just hang out here today.

렛 저슷 행아웃
히얼 투데이

 **해설 및 응용**

• Coffee's on me

"~On me"는 비유적으로 비용이나 책임이 자신에게 있다는 것을 나타냅니다.

• 예문

Beers are **on me** - 맥주는 내가 살께
(비얼스 얼 언미)
Dinner's **on me** tonight - 오늘 저녁은 내가 살게
(디널스 언 미)
Drinks are **on me** - 음료는 내가 살게
(드링스 얼 언미)
Tickets are **on me** this time - 이번에 티켓은 내가 살게
(티켓츠 얼 언 미)

• I'm out of milk

"I'm out of~"는 무언가가 부족하거나 다 떨어졌음을 나타내는 표현입니다.

• 예문

I'm out of cash, can I borrow some money?
(아임 아우롭 캐쉬, 캔 아이 바로우 썸 머니?)
현금이 다 떨어졌어, 돈 좀 빌려줄래?

I'm out of gas in my car, I need to find a gas station.
(아임 아우롭 개스 인 마미 컬, 아이 니 투 파인 어 개스 스테이션)
차에 기름이 다 떨어졌어, 주유소를 찾아야겠다.

13

해설 및 응용

- **I'm bored 와 I'm boring 의 차이점은?**

"I'm bored"는 자신이 지루하다는 것을 나타내는 표현이며, "I'm boring"은 자신이 지루한 (재미없는) 사람이라는 것을 나타냅니다.
헷갈릴 수 있으니, 두 표현의 차이점 꼭 기억해 주세요.

- **"Let's hang out"과 "Let's play" 의 차이점은?**

"Let's hang out": 이 표현은 친구나 지인과 함께 시간을 보내자는 제안으로 사용됩니다. 주로 어떤 장소에 가서 대화하거나, 함께 활동을 즐기는 것을 의미해요.

"Let's play": "Play"는 보통 어떤 유형의 게임이나 활동을 하자는 제안으로 사용됩니다. 보통 게임, 스포츠, 또는 기타 재미있는 활동을 의미해요.

Mother

SCAN ME

엄마표 영어 - 목욕

목욕할 시간이야

It's time to take a bath

이츠 타임 투 테이커 베쓰

먼저 손부터 씻어야지?

Wash your hands first?

와쉬 유얼 핸즈 펄스트?

수건으로 물을 닦아야 해

We need to dry off with a towel now

위 니 두 드라이 어프
윗 어 다올 나우

화장실에서 뛰지마. 미끄러워!

Don't run in the bathroom. It's slippery!

돈 런 인더 베스뜨룸
이츠 슬리뻘리

엄마표 영어 - 화장실

쉬아 할래? 응가 할래?

**Do you want to
pee or poo**

두유 원투 피 오얼 푸

조금만 더 참을 수 있니?

**Can you hold
a little longer?**

캔 유 홀 어 리를 롱걸?

엉덩이 닦는 거 도와줄게

**Let me help you
with wiping, okay?**

렛미 헬프 유
윗 와입빙, 오케이?

변기 물 내리는 걸 잊지 마

**Don't forget to flush
after you're done**

돈 폴겟 투 플러쉬
에프털 유얼 던

2 엄마표 영어 - 자기 전

오늘 뭐가 제일 즐거웠니?

What was the most fun thing you did today?

왓 워즈 더 모스트 펀 띵
유 딛 투데이

자기 전에 책을 읽어볼까?

Let's read a bedtime story together

레츠 뤼드 어 벧타임
스또리 투게덜

우리 같이 기도하자

Let's say our prayers together

레츠 세이 아월
프레이얼쓰 투게덜

좋은 꿈 꿔, 내일 아침에 보자

Sweet dreams, I'll see you in the morning

스윗 드림스, 아우 씨유
인 더 모닝

2 엄마표 영어 - 아플 때

너 열이 좀 있구나

You have a fever

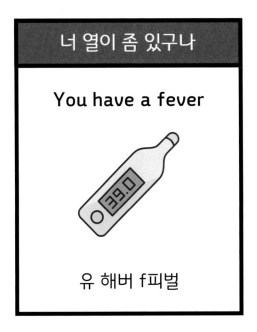

유 해버 f피벌

감기 걸린 것 같네

It seems like the flu

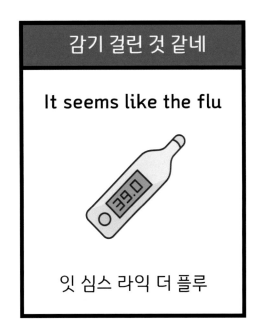

잇 심스 라익 더 플루

침대에 누워 있으렴

Lie down on the bed

라이 다운 언 더 베드

약을 먹었니?

Have you taken any medicine?

해뷰 테이큰 애니 메디슨?

19

엄마표 영어 - 기타

고양이 괴롭히지마

Don't annoy
the kitty cat

돈 언노이 더 키리 캣

엄마 옆에 붙어있어

Stay close
to mommy

스테이 클로우스 투 마미

너랑 보내는 시간이 좋아

I love spending time
with you

아이 럽 스팬딩 타임
윗유

숨박꼭질 하자

Let's play hide
and seek

레츠 플레이 하이덴씩

2 엄마표 영어 - 기타

장난치지 마

Stop fooling around

스탑 풀링 어라운드

연습은 완벽함을 만든단다

Practice makes perfect

프락티스 메익스 펄팩

해야 할 일은 해야지?

You gotta do what you gotta do

유 가라 두 왓 유 가라 두

큰 일 날뻔 했네

That was close

댓 워스 클로우스

미국 독립기념일

독립기념일 (Independence Day)

미국 독립 기념일은 미국이 영국으로부터 독립한 것을
기념하는 국경일입니다. 이는 1776년 7월 4일에
서명된 독립선언서를 기리는 것으로, 매년 7월 4일에 열립니다.

미국 이민을 준비하며 처음 뉴욕으로 간 그 즈음,
독립 기념일과 겹쳐서 동네 뒷동산에 올라가
불꽃 놀이를 구경하던 때가 생각이나네요.

대부분의 사람들이 휴가를 가서 동네가 조용한 편인데요,
휴가를 안 가신 몇몇 집들과 함께 다같이 모여서 바베큐 그릴과
디저트를 먹으며 함께 독립 기념일을 축하했어요.

그리고 7월 4일에는 각종 온라인 쇼핑몰에서는 세일 행사도 있으니
이 때를 노려서 쇼핑하는 것도 정말 추천드립니다.
제 경험상 블랙프라이데이보다 더 저렴한 제품도 있었어요!

Love

SCAN ME

제나 영어회화 데일리북

연애 커플 영어

너 나 꼬시는거야?

Are you hitting on me?

얼 유 히링 언 미?

낯이 익으시네요

You look familiar

율룩 패밀리얼

머리속에 온통 네 생각뿐이야

I can't stop thinking about you

아이캔스탑 띵킹 어바웃유

다른 사람 생겼어?

Do you have someone else?

두유 햅 썸원 엘스?

연애 커플 영어

그가 바람 피웠어

He cheated on me

히 치릿 언 미

데이트 신청하는 건가요?

Are you asking me out?

얼유 에스킹 미 아웃?

저 사귀는 사람 있어요

I'm dating someone

아임 데이링 썸원

난 너한테 관심 없어

I'm not interested in you

아임 낫 인트레스딧 인 유

 연애 커플 영어

난 가벼운 만남은 싫어

I don't want
any flings

아이 돈 원 애니 f플링스

진지한 만남을 원해

I want a
significant other

아이 원 어 씨그니피캔 아덜

너 어장관리 당하는거야?

Is she friend-zoning
you?

잇쉬 프렌조닝유?

우리 친구로 지내자

I want us to
be friends

아이 원 어스 투 비 프렌즈

연애 커플 영어

나랑 데이트할래?

Do you wanna go on
a date with me?

두 유 워너 고우어너
데잇 윗미?

소개팅해 봤어?

Have you ever been
on a blind date?

해뷰 애벌 빈 언 어
블라인드 데잍?

우린 너무 어색해

We are so
awkward together

위얼 쏘 어꾸월 투게덜

집 앞까지 바래다줄게

I'll walk you to
the porch

아우 웍 유 투 더 폴치

27

연애 커플 영어

(집에)와서 영화 볼래?

Do you wanna
come over for a movie?

두 유 워너 컴 오벌
폴 어 무비?

심쿵 했어

My heart just melted

마이 헐트 저슫 멜티드

내 잘못 아니야. 내 탓 하지마

It's not my fault.
Don't blame me

이츠 낫 마이 f포트
돈 블레임 미

(스킨십) 진도가 너무 느려

Things are moving
really slowly

떵스 얼 무빙 륄리 슬로우리

주의해야 할 행동

이런 칭찬은 불쾌할 수 있어요

한국에서는 얼굴이 작다, 코가 높다, 피부가 하얗다와 같은 외모에 대한 특징을 칭찬하는 것이 일반적입니다.

그러나 이러한 외모에 대한 칭찬이 외국인에게는 불쾌하게 느껴질 수 있기 때문에 미국과 같은 국가에서는 외모에 직접적인 칭찬을 피하는 것이 좋아요. 대신, "오늘 옷차림이 정말 멋지다" 혹은 "오늘 헤어스타일이 좋아 보인다"와 같이 스타일이나 착용한 아이템에 관한 칭찬을 하는 것이 적절합니다.

이런 행동은 삼가해주세요

미국 대다수 지역에서는 공공장소에서 음주가 금지돼요. 하지만 특별한 장소나 이벤트에서는 예외가 있을 수 있습니다.

라스베이거스나 뉴올리언스 같은 곳에서는 길거리 음주가 허용되는 경우도 있지만 그래도 보통은 공공장소에서 술을 마시는 건 법적으로 제한돼 있어요.

벌금은 상황에 따라 다르겠지만, 몇십 달러부터 시작해서 수백 달러까지 나올 수 있어요.

때에 따라서는 법적 조치나 사회봉사도 요구될 수 있습니다.

Emotions

SCAN ME

감정표현

혼란스럽네요

I'm confused

아임 컴퓨즈드

그거 참 아쉽다

It's a shame

이츠 어 셰임

마음에 좀 걸리네요 (미안)

I feel guilty

아이 필 길티

나 속상해

I'm upset

아임 업셋

감정표현

그녀는 날 위축되게 해

She's intimidating me

쉬스 인티미데이링 미

민망하다/챙피하다

It's embarrassing

이츠 임베레싱

이거 어이없다 (황당)

This is ridiculous

디쓰이쓰 뤼디큘러스

실망스러워요

What a letdown

와러 렛다운

감정표현

나 진짜 스트레스 받아

I'm really
stressed out

아임 뤼을리 스트레슫 다웃

나 우울한 것 같아

I think I'm depressed

아이띵 아임 디프레스드

네가 자랑스러워

I'm so proud of you

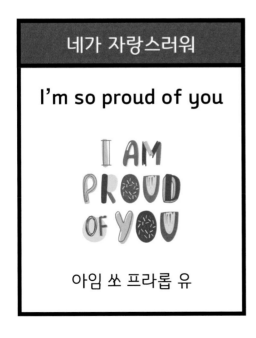

아임 쏘 프라롭 유

아무것도 몰라. 정말 답답해

I don't know anything.
It's really frustrating

아이 돈 노우 에니띵
이츠 프러스레이링

감정표현

그거 다행이다

That's a relief!

댓츠 어 릴리f프

마음이 편안해

I feel at ease
I am at ease

아이 필 엣 이즈
아임 엣 이즈

정말 부럽다

I'm so jealous

아임 쏘 젤레스

정말 짜증나

It's so annoying

잇쏘 언노잉

감정표현

너무 신나, 기분 최고야!

I'm ecstatic

아임 익스떼릭

궁금해

I'm curious

아임 큐리어스

(기대되서) 참을 수 없어!

I can't wait for that

아이캔 웨잇 폴 댓

너무 행복해

I'm on cloud nine

아임 언 클라웃 나인

영어 이디엄

감정과 관련 된 영어 관용어
(English idiom)

- **I'm over the moon:** "달 위로 갈 듯" 이라는 행복하고 기분이 좋을 때 쓰는 표현입니다.
- **I'm on cloud nine:** "나는 아홉 구름 위에 있다"는 행복한 상태 입니다.
- **I'm walking on air:** "공중을 걷고 있는 듯" 매우 기쁜 상태 입니다.
- **I'm living the dream:** "꿈 속에서 살고 있어" 로 황홀하고 행복할 때 사용할 수 있어요

 "Cloud nine"은 하늘에서 가장 높은 구름이 있는 고도를 나타내는 용어에서 유래했습니다.

Restaurant

SCAN ME

5 식당 주문하기

몇 분이시죠?

How many in your party?

하우 매니 인 유얼 파리

3명 입니다

Party of three

파뤼 오브 뜨리

저기요, 메뉴 볼 수 있을까요?

Excuse me,
Can I see the menu?

익스뀨즈미,
캔 아이 씨더 메뉴?

김제나로 예약했습니다

It's under Jenna Kim

이츠 언덜 제나킴

식당 주문하기

저는 주문할 준비가 되었습니다

I'm ready to order

아임 레뤼 투 오덜

(메뉴를) 좀 더 볼게요

I just need some time to look at it

아이 저슨 닏 썸 타임
투 룩게릿

어린이 메뉴 있나요?

Do you have a kids' menu?

두유 해버 킷츠 메뉴?

가장 인기 요리는 뭐에요?

What's your most popular dish?

와츠 유얼 모스트
파퓨럴 디쉬

식당 주문하기

스테이크가 덜 익었어요

My steak is too raw

마이 스테익 투 러우

스테이크 굽기

Well done: 완전히 익은
(웰던)

Medium: 중간 굽기
(미디움)

Medium rare: 핏기가 있는
(미디움 레어)

Rare: 겉만 익은
(레어)

(음료는) 커피로 하겠습니다

I'll have a coffee

아우 해버 커피
I'll have a + (원하는 음료)

저 캐찹 좀 더 주시겠어요?

May I have some more ketchup please

메아이 햅 썸 몰
(원하는 것) 플리즈?

식당 주문하기

얼마나 걸리나요?

How long
does it take?

하우 롱 더짓 테익?

제 요리에 문제가 있어요

There is a problem
with my dish

데얼이저 프라블럼
윗 마이 디쉬

포장 용기 주실 수 있나요?

Can I have
a to-go box?

캔 아이 해버 투고 박스?

계산서 좀 주세요

Can I get the check,
please

캔 아이 겟 더 첵 , 플리즈

5-1 음식 맛 표현

육즙&과즙이 가득하다

It's very juicy

이츠 베리 쥬씨

맥주 김이 다 빠졌어

This beer tastes flat

디쓰 비얼 테이스 f플렛

느끼한 피자가 땡긴다

I'm craving greasy pizza.

아임 크레이빙 글리쉬 피자

이건 최상이다

It's divine

이츠 디바인

5-2 음식 맛 표현

그건 점점 눅눅해질 거야

It's gonna get very soggy

이츠 거너 겟 베리 서기

이 빵은 오래되었어

This bread is stale

댓 브레드 이즈 스떼일

그다지 맛있지 않네

It's not that good

이츠 낫 댓 굿

이 스프는 싱거워

This soup is bland

디스 숩 이즈 블랜드

해설 및 응용

- **It's divine**

"It's divine."은 "그것은 신성한/최고의/최상의" 등의 의미로 쓰입니다. 그것이 매우 멋지거나 맛있는 것이라는 뜻으로 다양한 상황에서 쓰이는데요.

"Divine"은 일반적으로 격식을 차려 특별한 경험이나 느낌을 강조할 때 사용됩니다.
예를 들어, 음식, 음료, 자연의 풍경 등이 매우 아름답고 훌륭하다고 느낄 때 사용될 수 있습니다. 주로 격식 있는 자리나 문학적인 표현에서 자주 사용되니 이런 고급 단어 하나쯤 기억해두면 정말 좋겠죠?

예문
"This wine is exquisite. It's divine."
이 와인은 정말 훌륭하네요, 이건 신성한(최상의) 맛이에요.

제나 영어회화 데일리북

44

미국 레스토랑 문화

미국의 레스토랑 문화

1. 고객들은 자리 안내를 받을 때까지 문앞에서 대기합니다.
2. 웨이터가 자신의 이름을 소개하고 주문을 받습니다.
3. 웨이터는 고객의 만족도를 확인하고 음식이 맛있는지 확인합니다.
4. 계산은 자리에서 이루어지며, 영수증은 레스토랑과 고객에게 각각 제공됩니다.
5. 팁은 일반적으로 점심 식사일 경우 15%~20%, 저녁 15%~25% 정도가 기본적인 팁의 범위입니다.

 이런 행동은 좋지 않아요

- 손을 들거나 큰 소리로 서버를 부르는 것은 예의 없는 행동입니다. 고객은 눈빛으로 신호를 보내거나, 급한 경우에는 사정을 설명한 후 도움을 요청해야 합니다.
- 팁을 적게 주거나, 아예 주지 않는 것은 서버에 대한 예의를 갖추지 않는 것으로 여겨집니다. 팁은 서버의 서비스에 대한 감사의 표시이며, 서로 존중하는 마음으로 주는 것이 중요합니다.

Travel

SCAN ME

여행&관광 [호텔]

~로 예약했습니다

I have a reservation under [이름]

아이 해버 레저베이션
언덜 [이름]

일찍 체크인 가능한가요?

I was wondering if I could check-in early?

아이 워즈 원더링 이f프
아이 쿳 첵낀 얼리?

체크인 할게요

I'd like to check-in, please

아이드 라익투 체킨, 플리즈

와이파이 연결은 어떻게 하죠?

How can we connect to Wi-Fi?

하우 캔 위
커넥 투 와이파이?

47

여행&관광 [호텔]

저 가도 되나요?(마무리)

Am I good to go?

엠 아이 굿 투 고?

제 짐을 맡길 곳이 있나요?

Is there a place
to store my luggage?

이즈 데얼 어 플레이스
투 스또얼 마이 러기쥐?

가까운 약국은 어디있나요?

Where can I find
the nearest pharmacy?

웰 캔아이 파인 더 니얼스트
f팔머시?

이것 좀 도와주시겠어요?

Can you help me
with this?

캔 유 헵 미
윗 디쓰?

여행&관광 [쇼핑]

이거 얼마에요?

-How much is this?
-How much does it cost?

-하우 머치 이쓰 디쓰?
-하우 머치 더짓 커스트

더 작은 사이즈 있어요?

Do you have this in a smaller size?

두유 햅 디쓰인어 스몰러 사이즈?

더 큰 사이즈 있어요?

Do you have this in a larger size?

아임 쏘 프라롭 유

그냥 구경 중이에요

I'm just browsing

아임 저슷트 브라우징

 여행&관광 [쇼핑]

이거 입어봐도 될까요?

Can I try this on?

캔 아이 트라이 디쓰 언?

선물 추천해주실 수 있어요?

Can you recommend a gift?

캔 유 뤠꺼멘 어 기프트?

환불할 수 있어요?

Can I get a refund?

캔 아이 개러 리펀드?

스낵바는 언제 닫아요?

What time does the snack bar close?

왓 타임 더스 더 스낵바 클로우즈?

6 여행&관광 [기타]

여기 빈 자리인가요?

Is this seat taken?

이스디스 싯 테이큰?

여기서 멀리 있나요?

Is it far from here?

이짓 팔 프롬 히얼?

[장소]로 어떻게 가나요?

How do I get to [장소]

하우 두 아이 겟 투 [장소]

여기 경로 할인 있나요?

Is there a senior discount?

이쓰 데얼 어 씨니얼 디스카운트?

6 긴 문장 만들기

전치사를 사용해 풍부한 문장으로

- How far is it to [장소] ?

- **How far is it to the beach from the resort**
- 이 리조트에서 해변까지 얼마나 멀어요?

- **How far is it to your house?**
- 당신의 집에서 얼마나 멀어요?

- **She traveled from Paris to Rome by train.**
- 그녀는 기차를 타고 파리에서 로마로 갔다.

- "to": 어떤 장소나 위치로의 방향이나 이동을 나타냅니다.
- 예: "to the beach" (해변으로)

- "from": 어떤 장소나 위치에서의 출발지점을 나타냅니다.
- 예: "from the resort" (리조트에서부터)

- "By" 전치사는 어떤 수단, 방법 또는 도구를 나타냅니다.
- 예: "by train" (기차를 타고)

Weather

SCAN ME

날씨 관련 영어

구름이 잔뜩 끼었네요

It's cloudy

잇츠 클라우디

비가 올 것 같네요

It looks like it may rain soon

잇 룩스 라이낏 메이 레인 쑨

우산 빌려줄 수 있어요?

Can I borrow an umbrella?

캔 아이 바로우 언엄브렐라?

밖에 비가 쏟아지네요!

It's pouring out there!

이츠 폴링 아웃 데얼

54

7 날씨 관련 영어

쌀쌀해지지 않아?

It is getting chilly,
isn't it?

이츠 게링 칠리, 이즌잇?

저는 추위를 많이 타요

I get cold very easily

아이 겟 코우드 베리 이즐리

밖에 너무 추워요

It's freezing
out there

이츠 프리징 아웃데얼

옷 따뜻하게 입어

Make sure
to bundle up!

메익 쇼얼 투 번덜 업

날씨 관련 영어

소풍하기 딱 좋은 날씨야

Today's weather is perfect for a picnic

투데이쓰 웨덜 이쓰
펄펙 폴 어 피크닉

덥고 습하다 (불쾌)

It's muggy

잇츠 머기

점점 따뜻해져요

It's getting warmer

이츠 게링 워멀

날씨가 푹푹 찌네요

It's boiling hot

이츠 보일링 핫

날씨 관련 영어

밖에 날씨 너무 좋다

It's so gorgeous outside!

잇쏘 골저스 아웃싸이드!

안개가 끼었어요

It's foggy

잇츠 f퍼기

감기 걸리지 않게 조심해

Be careful not to catch a cold

비케얼포 낫 투 캐치어 콜드

독감 예방주사 맞았어?

Did you get a flu shot?

디쥬 게러 플루 샷?

날씨 관련 영어

나는 가을이 제일 좋아

My favorite season is fall

마이 페이보릿
시즌 이즈 f퍼우

이번 주 내내 날씨가 좋았어

The weather has been nice all week

더 웨덜 해스빈 나이스 얼 위크

날씨가 울적하네요

The weather is so gloomy

더 웨덜 잇쏘 글루미

날씨 어때요?

How's the weather?

하우스 더 웨덜

영국 영어 VS 미국 영어

British and American English

영어를 처음 배우면서 재미있는 부분 중 하나는
영국 영어와 미국 영어의 차이였어요.
각 나라마다 악센트가 다르고 자주 사용하는 단어나 표현도
다르기 때문에 미국 현지에서는 잘 안 쓰이는 단어나 표현을 배우는 것이
특히 흥미로웠던 것 같아요.

	🇬🇧	🇺🇸	🇰🇷
🍁	**Autumm** (어텀)	**Fall** (f퍼어)	**가을**
🛗	**Lift** (리프트)	**Elevator** (엘레베이럴)	**승강기**
🏢	**Flat** (플렛트)	**Apartment** (아팔멘t)	**아파트**
🍟	**Chips** (칩스)	**Fries** (프라이스)	**감자튀김**
⚽	**Football** (풋버우)	**Soccer** (싸껄)	**축구**
🗑️	**Rubbish** (러비쉬)	**Garbage/Trash** (갈베쥐/트레쉬)	**쓰레기**

Small talk

8

스몰 토크

신발 예쁘다,어디서 샀어?

I love your shoes!
Where did you get
them?

아이럽 유얼 슈즈
웨얼 디쥬 겟 뎀?

감사해요! '자라'에서 샀어요

Thank you
I bought it at Zara

땡큐, 아이 바릿 엣 자라

7층으로 가요

I'm going up to the
7th floor

아임 고잉 업 투 더
쎄븐쓰 f플러어

몇 층 가세요?

What floor are
you going to?

왓 플로어 얼 유 고잉 투?

스몰 토크

이 일을 얼마나 하셨어요?

How long have you been doing this job?

하우롱 해뷰빈 두잉 디쓰 잡?

무슨 일 하세요?

What do you do for a living?

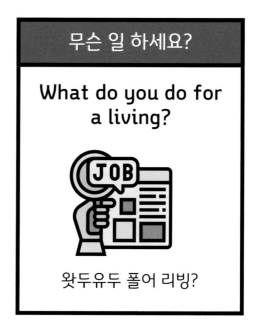

왓두유두 폴어 리빙?

5년 되었어요

It's been 5 years

이츠 빈 파이브 이얼스

일은 좀 어때요?

How do you like your job?

하우 두유 라익 유얼 잡?

스몰 토크

좀 어렵지만, 적응했어요

It's a little bit hard, but I'm used to it

잇츠어 리러빗 헐드
벗 아임 유스투잇

여기 단골이세요?

Are you a regular here?

얼 유 어 레귤러 히얼?

여기 분위기 너무 좋네요

I like the vibe here

아이 라익 더 바이브 히얼

저 좀 지나갈게요

Can I get through?

캔 아이 갓 뚜루?

8

스몰 토크

이 근처 사세요?

Do you live
near here?

두유 립 니얼 히얼?

아니요, 저는 여행 왔어요

No, I just come
here to travel

노우, 아이 저슷 컴 히얼
투 트레벌

여기 석양이 아주 멋지네요

The sunset is really
wonderful here

더 선셋 이즈 뤼을리
원더폴 히얼

강아지가 정말 사랑스럽네요

It's so adorable

이츠 쏘 어도로버

8 스몰 토크

(강아지) 성별이 뭐예요?

Is it a boy or a girl?

이짓 어 보이 오얼 어 걸?

한 번 만져 봐도 될까요?

Can I pet her/him?

캔 아이 펫 헐/힘

무슨 종이에요?

What's the breed?

왓츠 더 브뤼이드

강아지 몇 개월이에요?

How many months is the puppy?

하우 매니 먼쓰시쓰
이쓰 더 퍼피?

8 실수하기 쉬운 영어 표현

영어 초보자의 흔한 실수

❌	✅
나 심심해. I'm so boring (X)	나 심심해. I'm so bored
나는 브라이언과 결혼했어요. I married with Brian (X)	나는 브라이언과 결혼했어요. I married Brian
저는 여기가 좋아요. I like here. (X)	저는 여기가 좋아요. I like it here.
지금 가고 있어. I'm going (X)	지금 가고 있어. I'm on my way
너 집에 갈꺼야? Are you going to home? (X)	너 집에 갈꺼야? Are you going home?
나 저녁 먹었어. I had a dinner (X)	나 저녁 먹었어. I had dinner

- I'm so boring"은 자신이 지루한 사람이라는 뜻이 됩니다.
- "Married" 다음에 직접 명사를 사용하여 누구와 결혼했는지를 명확히 해야 합니다.
- "I'm going"은 동사 "to go"의 현재 연속형으로 목적지를 추가하여 문장을 완전하게 만들어야 합니다.
  - 예문 "I'm going to the store.

Exercise

SCAN ME

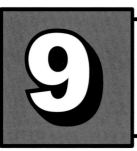

운동&건강

활동적인 생활을 하세요?

Do you have an active lifestyle?

두 유 햅 언 엑티브
라이프스타일?

아니요, 저는 집순이예요

No, I'm a homebody

노우, 아임 어 홈바디

그는 활동적인 사람이야

He's a very outdoor person

히스 어 베리 아웃도얼 펄슨

나 지금 다이어트 중이야

I'm on a diet now

아임 언 어 다이엇 나우

운동&건강

너 운동 부족이야

You don't get enough
exercise

유 돈 겟 이너프 엑설싸이즈

인바디 먼저 봐보자

Let's do the InBody
scan first

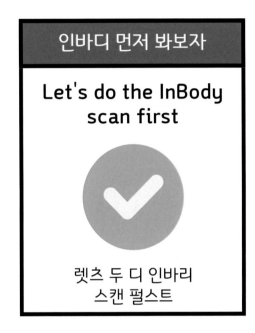

렛츠 두 디 인바리
스캔 펄스트

같이 운동 하자

Let's work
out together

렛츠 월끄아웃 투게덜

나 과체중이야

I'm overweight

아임 오벌웨잇

운동&건강

나 살 빼야 돼

I need to lose weight

아이 닛 투 루즈 웨잇트

관리해야겠어

I need to get fit

아이 니 투 겟 f핏

식단 조절이 필요해요

**I need to control
my diet**

아이 닛투 컨트롤
마이 다이엇트

술 줄여

Cut down on alcohol

컷 다운 언 아꺼홀

운동&건강

저녁 굶고 있어

I've been skipping dinner

아입 빈 쓰낍삥 디널

탄탄한 몸매 만들어야 돼

I need to tone up my body

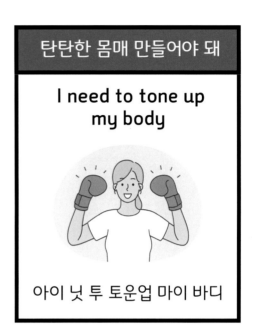

아이 닛 투 토운업 마이 바디

너 엄청 말랐다

You are super skinny

유얼 수뻘 스키니

너 저체중이야

You are underweight

유얼 언덜 웨잇트

9 운동&건강

고통 없이 얻는 건 없어

No pain no gain

노페인노게인

너도 나랑 같이 할래?

Do you wanna join me?

두유 워너 조인 미?

땀 흘리는 자에게 복이 있어

Good things come to those who sweat

굿 띵쓰 컴 투 도스 후 스웻

굶지 마

Don't starve yourself

돈 스딸브 유얼셀프

9 운동&건강

그는 몸매가 정말 좋아

He's in great shape

히스 인 그뤠잇 셰입

그 자세를 유지하세요

Hold that position

호우 댓 포지션

오늘도 헬스장 가?

Are you hitting
the gym today?

얼 유 히링 더 짐 투데이?

근육이 당기는 것 같아요

I think I pulled
a muscle

아이띵 아이 푸우드 어 머슬

9 '땡큐' 는 이제 그만

다양한 감사의 표현

- I appreciate it.
- 그 것에 감사드려요
- (아이 어프레쉐잇)

- I owe you one.
- 당신에게 빚을 졌네요
- (아이 오우 유 원)

- You are the best.
- 당신 정말 최고에요
- (유얼 더 베스트)

- Thanks a million.
- 백 만번 감사해요!
- (땡쓰 어 밀리언)

- You're too kind.
- 정말 친절하시네요
- (유얼 투 카인드)

- Thanks a lot.
- 정말 고마워요
- (땡쓰 얼랏)

'Your welcome' 대신 이렇게 말해보세요

- Anytime!
- 언제든지요!
- (애니타임)

- It's my pleasure.
- 제 기쁨인걸요.
- (마이 프레절)

- It was nothing.
- 별 거 아니에요.
- (잇 워즈 낫띵)

- Don't mention it.
- 별 말씀을요.
- (돈 멘션 잇)

- It's fine.
- 괜찮아요.
- (이츠파인)

- No problem.
- 문제없어요.
- (노 프라블럼)

Others

SCAN ME

10 기타 [청소]

나는 바닥을 닦아요

I mop the floor

아이 맙 더 플로얼

먼지를 쓸어요

Sweep up the dust

스웝 업 더 더스트

테이블을 닦아요.

Wipe the table

와입 더 테이블

쓰레기를 쓰레기통에 버려요

Throw the trash
in the bin

뜨로우 더 트레쉬 인 더 빈

10 기타 [이디엄]

나는 열심히 공부해요

I hit the books

아이 힛 더 북쓰

나는 기분이 울적해요

I'm feeling blue

아임 삘링 블루

그녀는 식물 애호가야

She has a green thumb

쉬 해즈 어 그린 떰

그녀는 너그럽고 착하다

She has a heart of gold

쉬 해즈 어 헐 업 골드

10 기타 [마트]

케첩은 어디에 있어요?

Where can I find ketchup?

웨얼 캔 아이 파인드 케첩

이거 세일인가요?

Is this on sale?

이쓰디쓰 언 쎄일?

7번 통로에 있어요

That's in aisle 7

댓츠 인 아일 세븐

이거 흠집이 있어요

This is damaged

디쓰이쓰 데메쥐드

78

10 기타 [일상]

핸드폰이 꺼졌어
My phone died

마이 폰 다이드

배터리가 조금 남았어
My battery is low
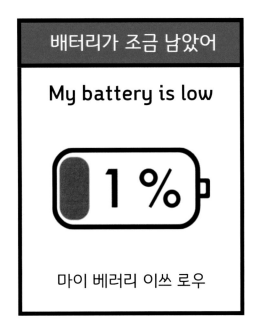
마이 베러리 이쓰 로우

콜! 나도 참여할게
I'm down

아임 다운

기억이 나질 않아요
It doesn't ring a bell

잇 더즌 링어 벨

10 기타 [신체]

나 지금 생리중이야

I'm on my period

아임 언 마이 피뤼어드

너 딸꾹질 하는구나

You have the hiccups

유 햅 더 히껍쓰

너는 피곤할 때 하품을 해

You yawn when you are tired

유 연 웬유얼 타이얼드

너 재채기를 하는구나

You are sneezing

유얼 스니징

10 기타 [신체]

저는 임신했어요

I'm pregnant

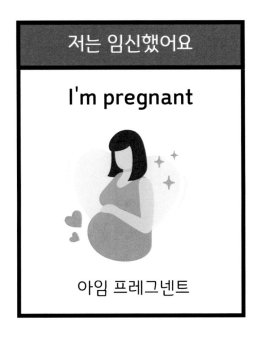

아임 프레그넌트

나는 수술을 받았어요

I had surgery

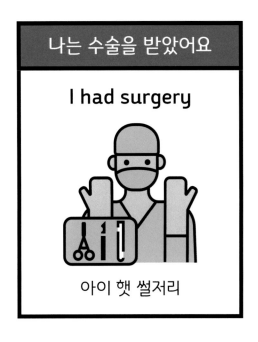

아이 햇 썰저리

몸이 마비가 된 느낌이야

I feel numb

아이 필 넘ㅂ

닭살 돋는다(소름)

I've got goose bumps

아입 갓 구스 범스

10 패턴 영어 예문

"패턴 영어"

영어 학습에서 주로 사용되는
기본적이고 중요한 표현이나 문장 구조를 의미합니다.
이러한 패턴은 일상 대화에서 자연스럽게 사용되며,
기존의 구조를 익히고 새로운 표현을 쉽게 습득할 수 있도록 도와줍니다.

Can I (borrow your pen?)
저는 (당신의 펜을 빌릴 수 있을까요?)

Can you (help me with my homework?)
당신은 (제 숙제를 도와주실 수 있나요?)

Are you going to (the party tomorrow?)
당신은 (내일 파티에 갈 예정인가요?)

Are you done (with your presentation?)
당신은 (발표를 다 끝내셨나요?)

I'm here to (meet the manager)
제가 여기 온 건 (매니저를 만나기 위해서 입니다.)

I'm calling to (schedule an appointment)
제가 전화한 이유는 (예약을 잡으려고 합니다.)

I'm on (my lunch break)
저는 (점심시간 입니다.)

Is it (your birthday today?)
이것은 (오늘 당신의 생일인가요?)

I just wanted to (say hello)
저는 그저 (안녕하세요라고 말하고 싶었어요)

10 패턴 영어 예문

I'm afraid (I can't make it to the meeting)
죄송하지만, (저는 회의에 참석할 수 없을 것 같아요.)

I want you to (try this cake)
당신이 (이 케이크를 한번 맛보길 원해요)

Do I have to (attend the seminar?)
제가 (세미나에 참석해야 하나요?)

I'm in (the office)
저는 (사무실에 있어요)

That's why (I was late)
그게 왜 (제가 늦었는지) 알겠어요.

It's time to (go home)
이제 (집으로 갈 시간입니다.)

It's getting (dark outside)
점점 (밖이 어두워지고 있어요.)

Do you want to (grab a cup of coffee?)
당신은 (커피 한 잔 하실래요?)

Would you like (some tea?)
(차 한 잔 드릴까요?)

Do you have any (questions?)
당신은 (질문이 있나요?)

Do you mind (if I open the window?)
(창문을 열어도 괜찮으세요?)

제나 영어회화 데일리북

83

10 패턴 영어 예문

Would you mind (turning down the volume?)
소리를 줄여도 괜찮으세요?

I want to (go to the beach)
저는 해변에 가고 싶어요.

I don't want to (eat spicy food)
저는 매운 음식을 먹기 싫어요.

I am going to (meet my friend later)
저는 나중에 친구를 만날 예정입니다.

I'm just about to (leave the office)
저는 지금 사무실을 나가려고 하는 중입니다.

I'm trying to (learn Spanish)
저는 스페인어를 배우려고 노력하고 있어요.

I'm ready to (start the project)
저는 프로젝트를 시작할 준비가 되었습니다.

Can I get (a glass of water?)
물 한 잔 받을 수 있나요?

That's what (I was talking about)
그게 바로 제가 말하려던 것이에요.

Why don't you (take a break?)
왜 쉬지 않으세요?

10 패턴 영어 예문

I'm interested in (learning photography)
사진 배우는데 관심이 있습니다.

There is nothing (to worry about)
걱정할 것은 아무것도 없어요.

Am I (doing it right?)
제가 (맞게 하고 있나요)?

I didn't mean to (offend you)
제가 그 의도는 아니었어요.

Should I (call him back?)
제가 (다시 그에게 전화해야 하나요)?

I can't believe (we won)
믿을 수가 없어요, (우리가 이겼다니).

Can I have (a piece of cake?)
케이크 한 조각 받을 수 있나요?

How could you (forget my birthday?)
어떻게 (내 생일을 잊었나요)?

Are you saying that (it's my fault?)
당신은 (그것이 내 잘못이라고 말하는 건가요)?

I'm glad (you enjoyed the movie)
당신이 영화를 즐겼다니 기뻐요.

I'm worried about (my exam results)
저는 시험 결과에 대해 걱정돼요.

What kind of (music do you like)?
어떤 종류의 음악을 좋아하세요?

I'm into (reading mystery novels)
저는 미스터리 소설 읽는 걸 좋아해요.

Can I take (a photo)?
사진을 찍어도 될까요?

Do you want me to (pick you up)?
당신은 저에게 (당신을 데리러 가달라고 하시나요)?

I have to (finish my homework)
제가 숙제를 끝내야 해요.

It's worth (the price)
그건 가격만큼의 가치가 있어요.

It feels like (summer)
여름 같은 느낌이에요.

Have you ever (visited France)?
당신은 이전에 프랑스를 방문한 적 있나요?

Can you show me (how to do it)?
당신은 저에게 (어떻게 하는지) 보여줄 수 있나요?

Let me (help you)
제게 (도와드릴게요).

There's no need to (worry)
걱정할 필요가 없습니다.

10 패턴 영어 모음

- Can I ~ ? – 저는 ~ 할 수 있을까요?
- Can you ~ ? – 당신은 ~ 할 수 있나요?
- Are you going to ~ ? – 당신은 ~ 할 예정인가요?
- Are you done ~ ? – 당신은 ~ 끝났나요?
- I'm here to – 제 목적은 ~ 하기 위해서 여기 왔습니다.
- I'm calling to – 제가 전화한 이유는 ~ 하려고 합니다.
- I'm on – 저는 ~ 중입니다.
- Is it ~ ? – 그것은 ~ 인가요?
- I just wanted to – 제가 그저 ~ 하고 싶었어요.
- I'm afraid – 죄송하지만, 제가 ~ 하는 것 같아요.
- I want you to – 저는 당신에게 ~ 하길 원합니다.
- Do I have to ~ ? – 제가 ~ 해야만 하나요?
- I'm in – 저는 ~ 에 있어요.
- That's why – 그게 왜 ~ 인지요.
- It's time to ~ – 이제 ~ 할 시간입니다.
- It's getting ~ – 점점 ~ 해지고 있어요.
- Do you want to ~ ? – 당신은 ~ 하고 싶나요?
- Would you like ~ ? – ~ 하시겠어요?
- Do you have any ~ ? – 당신은 ~ 가 있나요?
- Do you mind ~ ? – ~ 한다고 신경 쓰시나요?
- Would you mind ~ ? – ~ 한다고 신경 쓰시겠어요?
- I want to / I don't want to – 저는 ~ 하고 싶어요 / 저는 ~ 하기 싫어요.
- I am going to (I'm gonna) – 저는 ~ 할 예정입니다.
- I'm just about to – 저는 지금 ~ 하려고 하는 중입니다.
- I'm trying to – 저는 ~ 하려고 노력하고 있어요.
- I'm ready to – 저는 준비가 되었습니다.
- Can I get ~ ? – ~ 를 받을 수 있나요?
- That's what ~ – 그게 바로 ~ 인 거예요.

10 패턴 영어 모음

- Why don't you ~ ? - 왜 ~ 하지 않으세요?
- interested in - ~ 에 관심이 있습니다.
- There is nothing ~ - ~ 한 것이 아무것도 없습니다.
- Am I ~ ? - 제가 ~ 인가요?
- I didn't mean to ~ - 제가 그 의도는 아니었어요.
- Should I ~ ? - 제가 ~ 해야 하나요?
- I can't believe - 믿을 수가 없어요.
- Can I have ~ ? - ~ 를 받을 수 있나요?
- How Could you ~ ? - 당신은 어떻게 ~ 했나요?
- Are you saying that ~ ? - 당신은 그게 바로 ~ 라고 말하는 건가요?
- I'm glad - 기뻐요.
- I'm worried about ~ - 저는 ~ 에 대해 걱정돼요.
- What kind of ~ - 어떤 종류의 ~ 인가요?
- be into - ~ 에 관심이 있다.
- Can I take ~ ? - ~ 을 가져가도 될까요?
- Do you want me to ~ ? - 당신은 제가 ~ 하길 원하시나요?
- I have to - 저는 ~ 해야 해요.
- It's worth - 그건 ~ 한 가치가 있어요.
- feels like ~ - ~ 같은 느낌이에요.
- Have you ever + 과거분사 ~ ? - 당신은 이전에 ~ 한 적 있나요?
- Can you show me ~ ? - 당신은 저에게 ~ 를 보여줄 수 있나요?
- let me ~ - 제게 ~ 하게 해주세요.
- There's no need to - ~ 할 필요가 없습니다.

수고하셨습니다!
시즌 2에서 만나요 :)

English With Jenna

17만 팔로워의 선택

〈제나 영어회화 릴스북〉에서는
인스타그램 누적 조회수 2000만 이상의
영어 인터뷰&강연 영상을 대본으로 제작하였습니다.

〈제나 영어회화 릴스북〉　　　　〈제나 영어회화 데일리북〉

 인터넷 온라인 서점
네이버 스토어에서 구매하실 수 있습니다.

MEMO

MEMO